Quelle nuit !

Didier Lévy • Mérel

 Nathan

Rachid le timide

Pacha le chat

Mélanie la chipie

Pascale la géniale

Arthur le gros dur

ES-tu prêt pour une nouvelle aventure ? Eh bien, commençons !

Ah, j'y pense ! les mots suivis d'un ☼ sont expliqués à la fin de l'histoire.

C'est le soir. Arthur se lave
les dents. Il se regarde
dans la glace. « Comme je suis
beau et fort », se dit-il.

Arthur éteint la lumière
et il se couche...
– Ah, c'est bon d'être au lit ! dit-il.

Quelle nuit !

Mais soudain, Arthur ouvre un œil.

Il bondit du lit et crie :

– AU SECOURS ! AU SECOURS !

Que se passe-t-il ?

Sous la couverture, quelque chose bouge.

Brrr... Arthur sent qu'il va s'évanouir.

Ça alors ! C'est Gafi !
L'air penaud, il dit :
– Pardonne-moi, Arthur,
j'ai dormi dans ton lit cet après-midi
et je ne me suis pas réveillé.

Quelle nuit !

– Je n'ai même pas eu peur,
bougonne Arthur, vexé.

Tu veux connaître
la suite de l'histoire ?
Alors, suis-moi...

Rassuré, Arthur éteint la lumière et il se rendort.

– Ah, c'est bon d'être au lit ! dit-il.

Mais soudain, Arthur ouvre un œil.

Ses cheveux se dressent sur sa tête.

Une fois de plus, il bondit du lit
en criant :

– AU SECOURS ! AU SECOURS !

Quelle nuit !

Quelque chose bouge encore
sous les draps... Là, c'est sûr,
Arthur va s'évanouir pour de bon !

Que va découvrir Arthur ?

Quelle nuit !

Ça... ça alors !
C'est Pacha qui sort
de sous les draps.

– Pardon, Arthur, ce n'est que moi !
J'avais un peu froid,
alors je me suis mis dans ton lit.

Gafi se retient de rire. Pacha, lui,
est désolé d'avoir fait autant peur
à Arthur.

Quelle nuit !

Arthur regarde Pacha et Gafi.

Il hausse les épaules.

Puis, avec un petit sourire, il leur dit :

– Ne restez pas comme ça, il est tard, venez vous coucher.

Et hop ! Tout le monde se rendort
pour de bon dans le lit d'Arthur.
Faîtes de beaux rêves, les amis !

c'est fini !

Certains mots sont peut-être difficiles à comprendre. **Je vais t'aider !**

S'évanouir : c'est tomber tout à coup comme si on était endormi.

L'air penaud : Gafi est gêné, embêté.

Bougonner : Arthur est de mauvaise humeur.

Ses cheveux se dressent sur sa tête : on dit cela quand on a très très peur.

As-tu aimé mon histoire ? Jouons ensemble, maintenant !

Les intrus

À quelle page de l'histoire correspond cette image ? Il y a deux intrus. Lesquels ?

Réponse : image p.5. Une tortue et Rachid sous le lit.

Vrai ou faux ?

1 **Arthur a peur.**

Vrai ou faux ?

2 **Pacha dort sur les draps.**

Vrai ou faux ?

3 **Gafi est caché dans l'armoire.**

Vrai ou faux ?

4 **À la fin de l'histoire, Pacha et Gafi vont dormir avec Arthur.**

Vrai ou faux ?

Réponse : 1) vrai, 2) vrai, 3) faux, 4) vrai.

Les jumeaux !

Retrouve deux Gafi identiques.

Réponse : 2 et 4

Histoire à deviner

Arthur va se coucher.

Quelque chose bouge

sous la .

Que se passe-t-il ? Arthur a très

 . Soudain, il bondit du

et découvre qui s'était

endormi .

Dans la même collection
Illustrée par Mérel

 Je commence à lire

1- *Qui a fait le coup ?* Didier Jean et Zad
2- *Quelle nuit !* Didier Lévy
3- *Une sorcière dans la boutique,* Mymi Doinet
4- *Drôle de marché !* Ann Rocard

 Je lis

5- *Gafi a disparu,* Didier Lévy
6- *Panique au cirque !* Mymi Doinet
7- *Une séance de cinéma animée,* Ann Rocard
8- *Un sacré charivari,* Didier Jean et Zad

Directeur de collection et conseil pédagogique :
Alain Bentolila

© Éditions Nathan (Paris-France), 2004
Conforme à la loi n°49956 du 16 juillet 1949
sur les publications destinées à la jeunesse
ISBN 209250406-1
N° éditeur : 10120744 - Dépôt légal : janvier 2005
imprimé en Italie chez Stige